Título original: **Do not lick this book** (Allen & Unwin, 2017)
© del texto: Idan Ben-Barak, 2017
© de las ilustraciones: Julian Frost, 2017
Diseño de cubierta y texto: Julian Frost
Imágenes con microscopio electrónico de rastreo de Linnea Rundgren
Publicado por acuerdo con Allen & Unwin a través de International Editors'Co. Barcelona
Traducción del inglés: Roser Rimbau
Primera edición en castellano: septiembre de 2020
© 2020, de esta edición, Takatuka SL
www.takatuka.cat
Maquetación: Volta Disseny
Impreso en Novoprint
ISBN: 978-84-17383-72-5
Depósito legal: B 12941-2020

¡No chupes este libro!*

IDAN BEN-BARAK y JULIAN FROST

IMÁGENES DE MICROSCOPIO ELECTRÓNICO
DE RASTREO DE LINNEA RUNDGREN

TRADUCCIÓN DE ROSER RIMBAU

* ESTÁ LLENO
DE GÉRMENES

TaKaTuKa

Esta es Mina.

Mina es un microbio. Es pequeña. Muy pequeña.
¿Ves este punto?

.

Los microbios son tan pequeños que aquí
dentro caben 3.422.167[*].

EN EL AIRE

EN TUS TRIPAS

EN TU CALCETÍN

Los microbios están por todas partes:

EN LAS TROMPETAS

EN LA ANTÁRTIDA

EN EL FONDO DEL MAR

EN LAS RODILLAS
DE LOS ELEFANTES

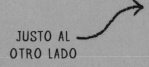

JUSTO AL
OTRO LADO

BAJO TIERRA

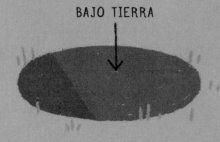

EN TU DESAYUNO

DENTRO DE
ESTE PEZ

EN LA NARIZ DE SANTA CLAUS

EN LA CIMA DEL EVEREST

Let's take Min on an adventure!

See the circle on the next page?
That's where Min lives. Touch the circle
with your finger to pick her up.

Mina vive en este libro.
Y si la pudieras mirar

muy

muy

de cerca...

... la descubrirías.

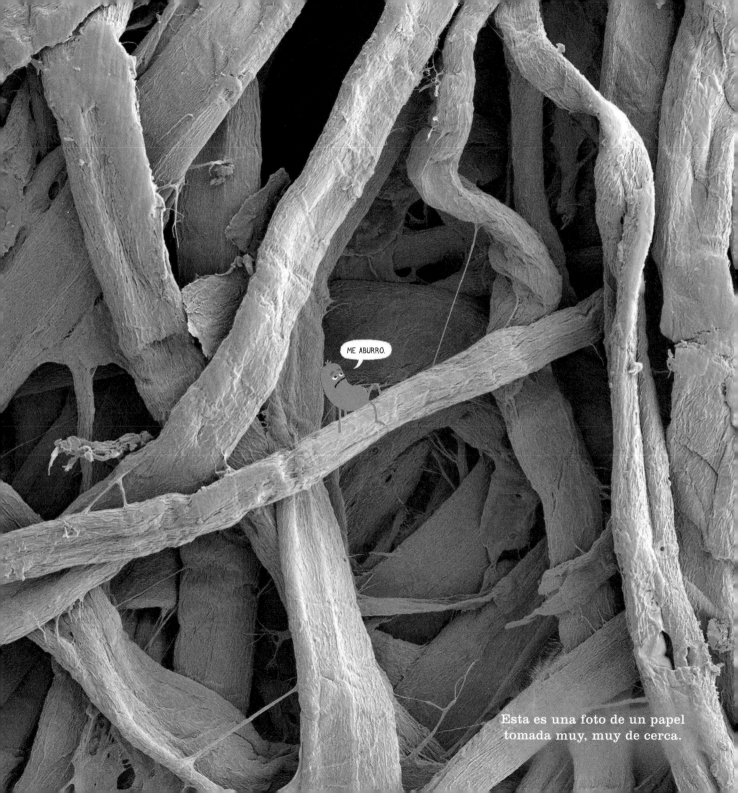

Esta es una foto de un papel tomada muy, muy de cerca.

¡Llevémonos a Mina a correr
una aventura!

¿Ves el círculo de la página siguiente?
Aquí es donde vive. Toca el círculo con
el dedo para recogerla.

¡Ahora Mina está en tu dedo!

¿Adónde llevaremos a Mina para empezar?

De acuerdo, adelante.

Abre la boca y, con cuidado, tócate
los dientes con el dedo.

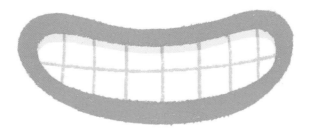

Ahora los miraremos

muy

muy

de cerca...

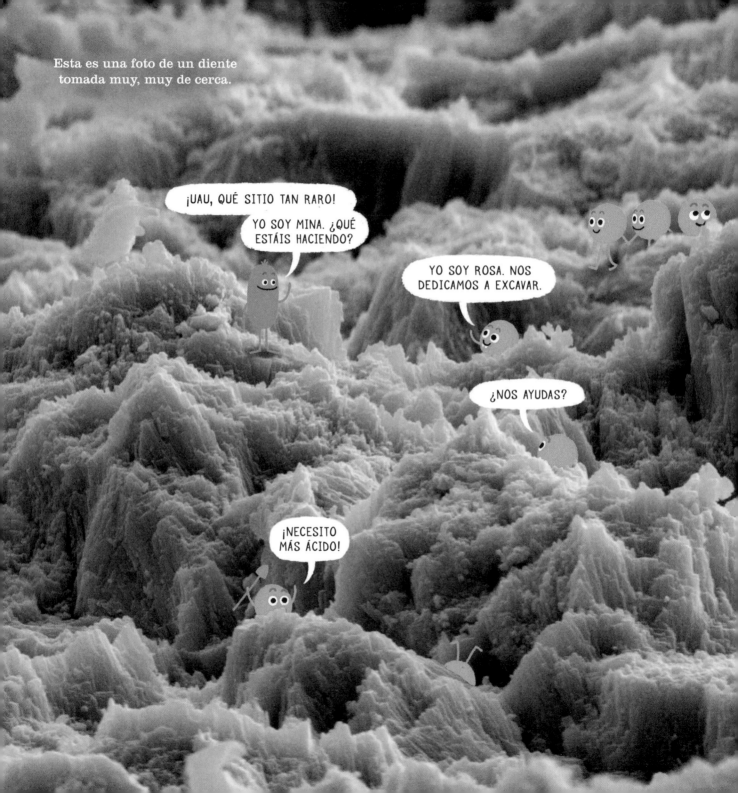

Si los miras muy, muy de cerca,
los dientes son muy raros.
No es extraño que sea recomendable cepillarlos.

Ha llegado la hora de que Mina viva una nueva aventura.
Tócate los dientes para recogerla.

Parece que también te has llevado a Rosa.
¿Adónde iremos ahora?

De acuerdo, exploraremos tu camiseta.

Tócatela con el dedo para que Mina y
Rosa corran una nueva aventura.

Ahora la miraremos

muy

muy

de cerca...

Si las miras muy, muy de cerca,
las camisetas son muy raras.
No es extraño que necesiten un buen lavado.

Ha llegado la hora de la próxima aventura
de Mina y Rosa.
Tócate la camiseta para recogerlas.

También Dani se ha apuntado a dar un paseo.
Nos da tiempo a hacer otra escapada.
¿Adónde iremos?

¡De acuerdo, allá vamos!

Ponte el dedo en el ombligo y
acaríciatelo un poco.

Ahora lo miraremos

muy

muy

de cerca...

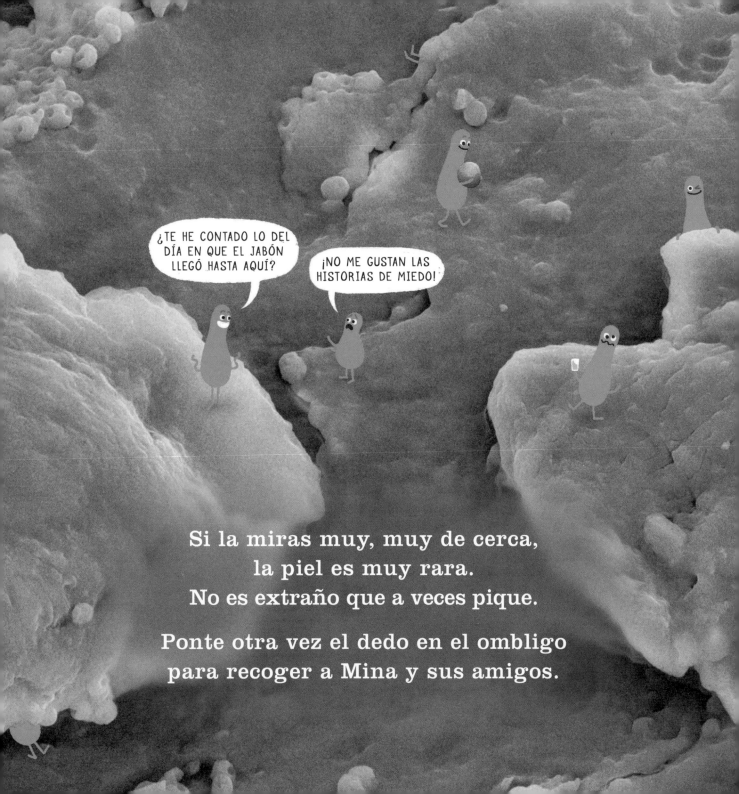

Si la miras muy, muy de cerca,
la piel es muy rara.
No es extraño que a veces pique.

Ponte otra vez el dedo en el ombligo
para recoger a Mina y sus amigos.

Venga, devolvamos a Mina y sus
amigos a este libro.

¡Este es un buen sitio!

Hay espacio suficiente para todos.

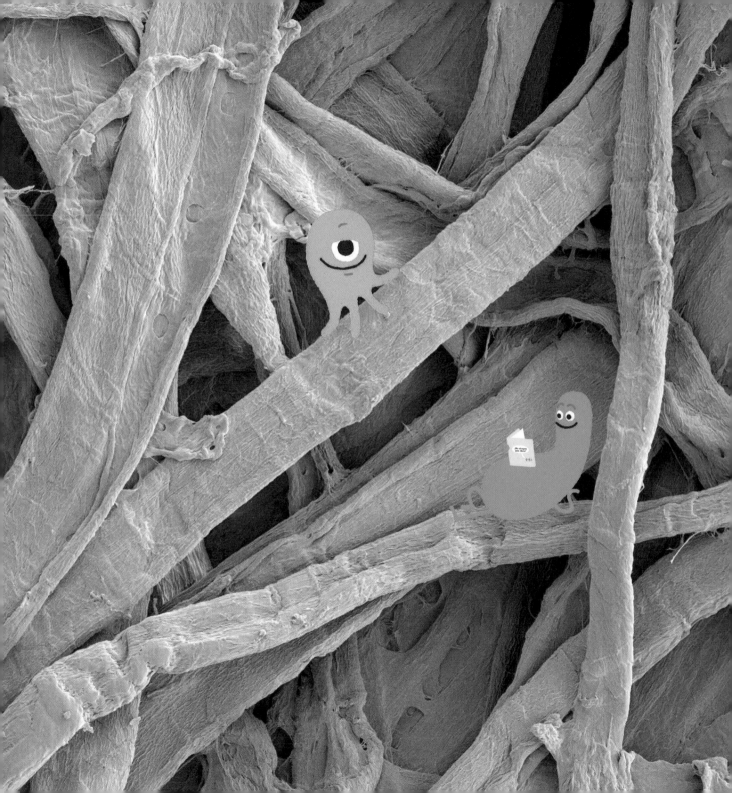

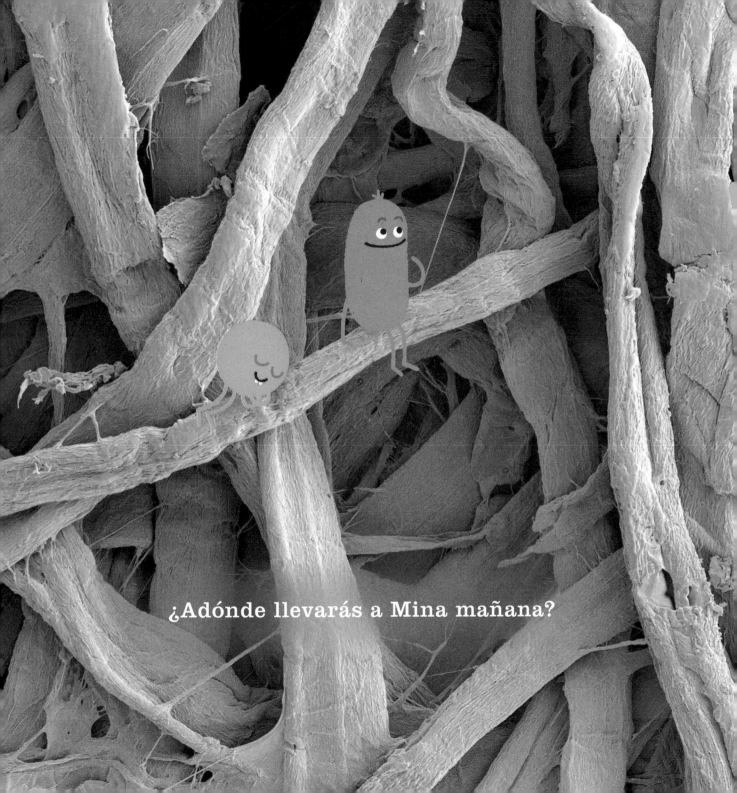

¿Adónde llevarás a Mina mañana?

Cómo son los microbios en realidad:

Los microbios son tan pequeños que nadie sabía que existían hasta que se inventaron los microscopios. Los hay con todo tipo de formas extrañas, pero no tienen ni cara ni pies ni manos… Y, de hecho, no pueden hablar. Lo siento, Mina.

Mina es un *E. coli*

Los *Escherichia coli* viven felices en tus intestinos, pero son muy hábiles expandiéndose, especialmente cuando no te lavas bien las manos.

Rosa es un estreptococo

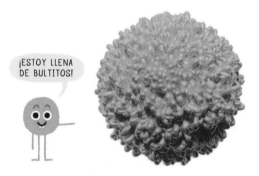

Los *estreptococos* son bacterias que viven en tu boca. Se alimentan de azúcar y, cuando hacen caca, expulsan un ácido que puede dañar tus dientes.

Dani es un hongo

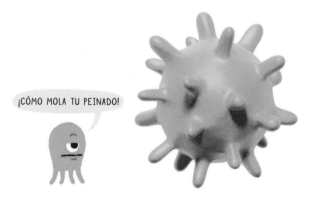

Su nombre real es *Aspergillus niger*. Probablemente lo has pillado jugando en la calle.

Juan es una corinebacteria

Las *corinebacterias* viven en tu piel. Son grandes fans de la suciedad.

Cómo son los autores de este libro en realidad:

IDAN BEN-BARAK

Idan ha escrito la mayoría de las palabras. Es fácil dar con él en una biblioteca. A menudo piensa en voz alta

JULIAN FROST

Julian es el autor de los dibujos. Le gustan los cómics y las tostadas. La animación del vídeo *Dumb Ways to Die* es obra suya.

LINNEA RUNDGREN

Linnea hizo las fotos con un microscopio. Utiliza máquinas muy complicadas para ver cosas muy, muy pequeñas y cosas enormemente grandes. Descubre cosas interesantes en todas partes.

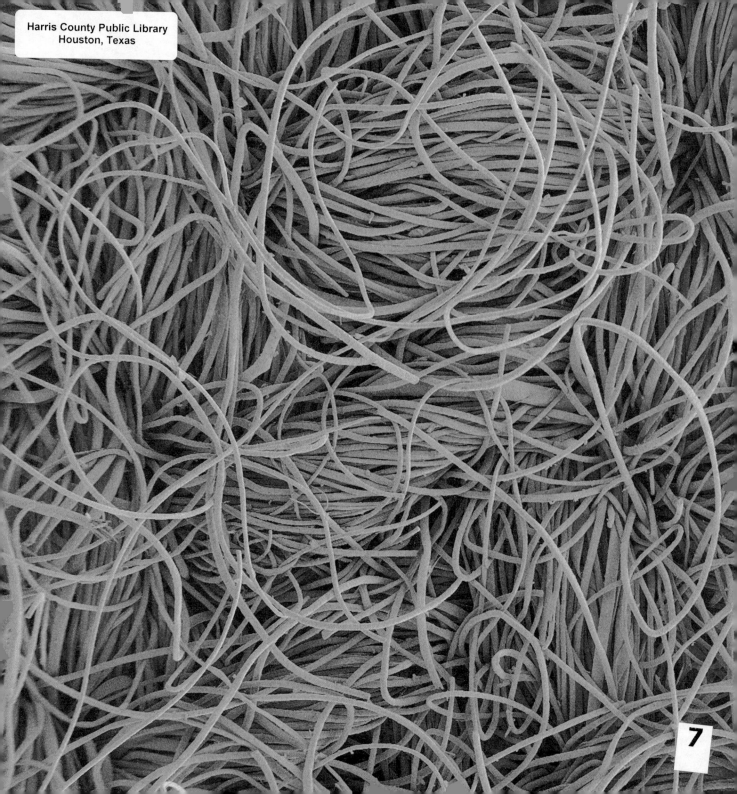

7